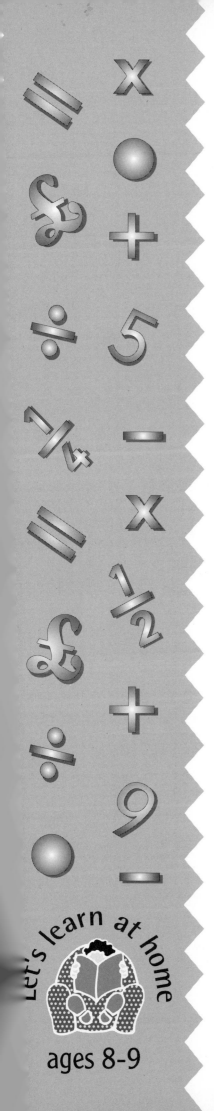

# MEN MATHS PRACTICE

## ages 8–9

Author  Margaret Gronow

Illustrator  Mike Miller

Let's learn at home

ages 8-9

1. $6 + 4 =$ ☐
2. $3 + 7 =$ ☐
3. $1 + 9 =$ ☐
4. $5 + 5 =$ ☐
5. $8 + 2 =$ ☐
6. $4 + 6 =$ ☐
7. $2 + 8 =$ ☐
8. $7 + 3 =$ ☐

9. $8 +$ ☐ $= 10$
10. $1 +$ ☐ $= 10$
11. $5 +$ ☐ $= 10$
12. $3 +$ ☐ $= 10$
13. $6 +$ ☐ $= 10$
14. $2 +$ ☐ $= 10$
15. $7 +$ ☐ $= 10$
16. $4 +$ ☐ $= 10$

1. $10 - 4 =$ ☐
2. $10 - 9 =$ ☐
3. $10 - 6 =$ ☐
4. $10 - 0 =$ ☐
5. $10 - 5 =$ ☐
6. $10 - 1 =$ ☐
7. $10 - 8 =$ ☐
8. $10 - 3 =$ ☐

9. $10 - 2 =$ ☐
10. $10 - 7 =$ ☐
11. $10 - 10 =$ ☐
12. $20 - 17 =$ ☐
13. $20 - 14 =$ ☐
14. $20 - 10 =$ ☐
15. $20 - 12 =$ ☐
16. $20 - 15 =$ ☐

1.  20 – 18 = ☐
2.  20 – 20 = ☐
3.  20 – 11 = ☐
4.  20 – 13 = ☐
5.  20 – 19 = ☐
6.  20 – 16 = ☐
7.  20 – 12 = ☐
8.  20 – 10 = ☐

9.  14 + ☐ = 20
10. 12 + ☐ = 20
11. 15 + ☐ = 20
12. 11 + ☐ = 20
13. 17 + ☐ = 20
14. 10 + ☐ = 20
15. 13 + ☐ = 20
16. 18 + ☐ = 20

**How many to 30?**

1.  25... 5
2.  29... ☐
3.  27... ☐
4.  24... ☐
5.  26... ☐
6.  22... ☐

**How many to 50?**

7.  48... 2
8.  44... ☐
9.  46... ☐
10. 41... ☐
11. 40... ☐
12. 43... ☐

Check your answers.

## How many to 60?    How many to 90?

1. 57... ☐          7. 84... ☐

2. 53... ☐          8. 82... ☐

3. 59... ☐          9. 86... ☐

4. 54... ☐          10. 80... ☐

5. 51... ☐          11. 85... ☐

6. 58... ☐          12. 81... ☐

## How many to 40?    How many to 80?

1. 22... 18         9. 65... 15

2. 27... ☐          10. 69... ☐

3. 24... ☐          11. 66... ☐

4. 20... ☐          12. 61... ☐

5. 26... ☐          13. 63... ☐

6. 21... ☐          14. 68... ☐

7. 28... ☐          15. 62... ☐

8. 23... ☐          16. 67... ☐

Count to the next 10 first. Now count in tens.

## How many to 50?  How many to 70?

| | | | | | |
|---|---|---|---|---|---|
| 1. | 36... | 14 | 7. | 47... | 23 |
| 2. | 43... | | 8. | 65... | |
| 3. | 21... | | 9. | 34... | |
| 4. | 27... | | 10. | 29... | |
| 5. | 18... | | 11. | 52... | |
| 6. | 42... | | 12. | 38... | |

Find the unit figure first, then count in tens.

| | | | | | |
|---|---|---|---|---|---|
| 1. | 40 − 23 = | | 7. | 30 − 24 = | |
| 2. | 90 − 48 = | | 8. | 50 − 11 = | |
| 3. | 30 − 14 = | | 9. | 80 − 27 = | |
| 4. | 60 − 36 = | | 10. | 40 − 15 = | |
| 5. | 80 − 49 = | | 11. | 70 − 38 = | |
| 6. | 50 − 35 = | | 12. | 80 − 42 = | |

1. 10 + 6 = ☐
2. 10 + 4 = ☐
3. 10 + 2 = ☐
4. 10 + 7 = ☐
5. 10 + 3 = ☐
6. 10 + 8 = ☐
7. 10 + 5 = ☐
8. 10 + 0 = ☐

9. 10 + 1 = ☐
10. 10 + 9 = ☐
11. ☐ + 10 = 18
12. ☐ + 10 = 12
13. ☐ + 10 = 15
14. ☐ + 10 = 13
15. ☐ + 10 = 17
16. ☐ + 10 = 14

Find the 10s first.

1. 6 + 4 + 8 = ☐
2. 8 + 1 + 2 = ☐
3. 9 + 3 + 1 = ☐
4. 9 + 5 + 5 = ☐
5. 2 + 4 + 6 = ☐
6. 7 + 4 + 3 = ☐

7. 7 + 1 + 9 = ☐
8. 5 + 6 + 5 = ☐
9. 0 + 8 + 2 = ☐
10. 4 + 6 + 5 = ☐
11. 7 + 8 + 3 = ☐
12. 5 + 9 + 1 = ☐

## Add on... up to 20 each time.

1. 16... [ ]
2. 13... [ ]
3. 18... [ ]
4. 15... [ ]
5. 10... [ ]

6. 14... [ ]
7. 11... [ ]
8. 17... [ ]
9. 19... [ ]
10. 12... [ ]

Learn these!

1. 16 + 4 = [ ]
2. 15 + 5 = [ ]
3. 19 + 1 = [ ]
4. 17 + 3 = [ ]
5. 11 + 9 = [ ]

6. 7 + 13 = [ ]
7. 6 + 14 = [ ]
8. 2 + 18 = [ ]
9. 5 + 15 = [ ]
10. 8 + 12 = [ ]

1. 20 − 13 = ☐
2. 20 − 16 = ☐
3. 20 − 18 = ☐
4. 20 − 10 = ☐
5. 20 − 14 = ☐

6. 20 − 11 = ☐
7. 20 − 19 = ☐
8. 20 − 17 = ☐
9. 20 − 15 = ☐
10. 20 − 12 = ☐

1. 20 + 4 = ☐
2. 20 + 9 = ☐
3. 20 + 6 = ☐
4. 20 + 1 = ☐
5. 20 + 8 = ☐
6. 20 + 5 = ☐
7. 20 + 2 = ☐
8. 20 + 7 = ☐
9. 20 + 0 = ☐
10. 20 + 3 = ☐

Do you know the answers without counting on?

1. $15 + 5 + 3 =$ ☐
2. $19 + 1 + 5 =$ ☐
3. $16 + 4 + 7 =$ ☐
4. $10 + 10 + 1 =$ ☐
5. $12 + 8 + 2 =$ ☐

6. $17 + 3 + 9 =$ ☐
7. $14 + 6 + 0 =$ ☐
8. $11 + 9 + 4 =$ ☐
9. $13 + 7 + 8 =$ ☐
10. $18 + 2 + 6 =$ ☐

Make a 20 first.
Look at number 1.
$12 + 8 = 20$
Now add the 4.
It's 24 – easy!

1. $12 + 4 + 8 =$ ☐
2. $10 + 6 + 10 =$ ☐
3. $16 + 0 + 4 =$ ☐
4. $2 + 9 + 18 =$ ☐
5. $14 + 3 + 6 =$ ☐

6. $17 + 1 + 3 =$ ☐
7. $11 + 8 + 9 =$ ☐
8. $19 + 5 + 1 =$ ☐
9. $17 + 7 + 3 =$ ☐
10. $5 + 2 + 15 =$ ☐

1. $3 + 15 + 5 =$ ☐
2. $8 + 16 + 4 =$ ☐
3. $6 + 1 + 19 =$ ☐
4. $2 + 3 + 17 =$ ☐
5. $5 + 12 + 8 =$ ☐
6. $9 + 4 + 16 =$ ☐

7. $6 + 13 + 7 =$ ☐
8. $3 + 18 + 2 =$ ☐
9. $7 + 10 + 10 =$ ☐
10. $1 + 2 + 18 =$ ☐
11. $9 + 17 + 3 =$ ☐
12. $4 + 9 + 11 =$ ☐

1. $5 + 4 + 16 =$ ☐
2. $6 + 13 + 2 =$ ☐
3. $11 + 8 + 9 =$ ☐
4. $1 + 15 + 5 =$ ☐
5. $8 + 6 + 10 =$ ☐
6. $7 + 19 + 1 =$ ☐
7. $14 + 7 + 6 =$ ☐
8. $5 + 12 + 3 =$ ☐

9. $2 + 9 + 18 =$ ☐
10. $4 + 13 + 7 =$ ☐
11. $3 + 6 + 16 =$ ☐
12. $10 + 8 + 10 =$ ☐
13. $4 + 9 + 16 =$ ☐
14. $12 + 8 + 3 =$ ☐
15. $1 + 4 + 17 =$ ☐
16. $17 + 6 + 3 =$ ☐

## Take away 10.

1. 16... `6`
2. 11...
3. 15...
4. 19...
5. 12...
6. 13...

## Take away 20.

7. 24... `4`
8. 29...
9. 23...
10. 28...
11. 21...
12. 27...

> Look! The unit figure stays the same.

## Take away 9.

1. 24... `15`
2. 36...
3. 17...
4. 30...
5. 28...
6. 43...

7. 27...
8. 35...
9. 18...
10. 41...
11. 29...
12. 46...

> Try taking away 10 then putting 1 back.

## Take away 21.

1. 38... **17**
2. 43...
3. 56...
4. 29...
5. 35...
6. 54...

7. 45...
8. 32...
9. 57...
10. 60...
11. 24...
12. 41...

Take 2 tens, then a unit.

## Take away 11.

1. 34...
2. 59...
3. 46...
4. 63...
5. 48...
6. 57...

9. 60...
10. 41...
11. 25...
12. 38...
13. 52...
14. 64...

Think of a quick way of your own.

1. $3 \times 3 =$ ☐
2. $5 \times 2 =$ ☐
3. $4 \times 5 =$ ☐
4. $2 \times 4 =$ ☐
5. $4 \times 3 =$ ☐
6. $5 \times 4 =$ ☐

7. $3 \times 4 =$ ☐
8. $5 \times 5 =$ ☐
9. $4 \times 2 =$ ☐
10. $2 \times 3 =$ ☐
11. $3 \times 5 =$ ☐
12. $5 \times 3 =$ ☐

You should know these without working them out!

1. ☐ $\times 5 = 10$
2. ☐ $\times 2 = 8$
3. ☐ $\times 4 = 12$
4. ☐ $\times 3 = 9$
5. ☐ $\times 4 = 8$
6. ☐ $\times 3 = 12$
7. ☐ $\times 5 = 20$
8. ☐ $\times 2 = 6$

9. ☐ $\times 4 = 20$
10. ☐ $\times 5 = 15$
11. ☐ $\times 2 = 4$
12. ☐ $\times 3 = 15$
13. ☐ $\times 2 = 10$
14. ☐ $\times 4 = 16$
15. ☐ $\times 3 = 6$
16. ☐ $\times 5 = 25$

# Now I can do... ⟨1⟩

1. $4 + \boxed{\phantom{00}} = 10$

2. $20 - 12 = \boxed{\phantom{00}}$

3. $41 + \boxed{\phantom{00}} = 50$

4. $34 + \boxed{\phantom{00}} = 70$

5. $53 + \boxed{\phantom{00}} = 80$

6. $60 - 31 = \boxed{\phantom{00}}$

7. $15 + 5 + 3 = \boxed{\phantom{00}}$

8. $12 + 4 + 8 = \boxed{\phantom{00}}$

9. $28 - 9 = \boxed{\phantom{00}}$

10. $57 - 21 = \boxed{\phantom{00}}$

11. $46 - 11 = \boxed{\phantom{00}}$

12. $3 \times 3 = \boxed{\phantom{00}}$

13. $5 \times 4 = \boxed{\phantom{00}}$

14. $\boxed{\phantom{00}} \times 4 = 12$

15. $\boxed{\phantom{00}} \times 5 = 25$

16. $\boxed{\phantom{00}} \times 5 = 45$

I scored $\boxed{\phantom{00}}$ out of 16 in this test.

I am:      ✓

very pleased ☐

pleased ☐

not very pleased ☐

# Answers

Dear Parent/Carer

This is not a teaching book. It is a practice book. While working through this book, your child should be practising mental maths that she or he has already learned how to do, and so should not need much help from you. If your child does get stuck, handy hints are scattered across the practice pages.

The answers to the exercises and review tests are provided in this section. You may like to pull out these middle pages, so your child can only use them after trying each exercise. Keep them safely! Correct the exercises together. This will allow you to celebrate improvement, or to see where your child may be having difficulties.

If you feel you can suggest other ways to do the maths, try not to confuse your child with a method that is too different from the one that she or he has been taught in school.

Fill in the progress chart together, then display the certificate when your child has completed the book. Have fun practising mental maths!

## EXERCISE 1a

| | | | |
|---|---|---|---|
| 1. 10 | | 9. 2 | |
| 2. 10 | | 10. 9 | |
| 3. 10 | | 11. 5 | |
| 4. 10 | | 12. 7 | |
| 5. 10 | | 13. 4 | |
| 6. 10 | | 14. 8 | |
| 7. 10 | | 15. 3 | |
| 8. 10 | | 16. 6 | |

## EXERCISE 1b

| | | | |
|---|---|---|---|
| 1. 6 | | 9. 8 | |
| 2. 1 | | 10. 3 | |
| 3. 4 | | 11. 0 | |
| 4. 10 | | 12. 3 | |
| 5. 5 | | 13. 6 | |
| 6. 9 | | 14. 10 | |
| 7. 2 | | 15. 8 | |
| 8. 7 | | 16. 5 | |

## EXERCISE 2a

| | | | |
|---|---|---|---|
| 1. 2 | | 9. 6 | |
| 2. 0 | | 10. 8 | |
| 3. 9 | | 11. 5 | |
| 4. 7 | | 12. 9 | |
| 5. 1 | | 13. 3 | |
| 6. 4 | | 14. 10 | |
| 7. 8 | | 15. 7 | |
| 8. 10 | | 16. 2 | |

## EXERCISE 2b

| | | | |
|---|---|---|---|
| 1. 5 | | 7. 2 | |
| 2. 1 | | 8. 6 | |
| 3. 3 | | 9. 4 | |
| 4. 6 | | 10. 9 | |
| 5. 4 | | 11. 10 | |
| 6. 8 | | 12. 7 | |

## EXERCISE 3a

| | | | |
|---|---|---|---|
| 1. 3 | | 7. 6 | |
| 2. 7 | | 8. 8 | |
| 3. 1 | | 9. 4 | |
| 4. 6 | | 10. 10 | |
| 5. 9 | | 11. 5 | |
| 6. 2 | | 12. 9 | |

## EXERCISE 3b

| | | | |
|---|---|---|---|
| 1. 18 | | 9. 15 | |
| 2. 13 | | 10. 11 | |
| 3. 16 | | 11. 14 | |
| 4. 20 | | 12. 19 | |
| 5. 14 | | 13. 17 | |
| 6. 19 | | 14. 12 | |
| 7. 12 | | 15. 18 | |
| 8. 17 | | 16. 13 | |

## EXERCISE 4a

| | | | |
|---|---|---|---|
| 1. 14 | | 7. 23 | |
| 2. 7 | | 8. 5 | |
| 3. 29 | | 9. 36 | |
| 4. 23 | | 10. 41 | |
| 5. 32 | | 11. 18 | |
| 6. 8 | | 12. 32 | |

## EXERCISE 4b

| | | | |
|---|---|---|---|
| 1. 17 | | 7. 6 | |
| 2. 42 | | 8. 39 | |
| 3. 16 | | 9. 53 | |
| 4. 24 | | 10. 25 | |
| 5. 31 | | 11. 32 | |
| 6. 15 | | 12. 38 | |

## EXERCISE 5a

| | | | |
|---|---|---|---|
| 1. 16 | | 9. 11 | |
| 2. 14 | | 10. 19 | |
| 3. 12 | | 11. 8 | |
| 4. 17 | | 12. 2 | |
| 5. 13 | | 13. 5 | |
| 6. 18 | | 14. 3 | |
| 7. 15 | | 15. 7 | |
| 8. 10 | | 16. 4 | |

## EXERCISE 5b

| | | | |
|---|---|---|---|
| 1. 18 | | 7. 17 | |
| 2. 11 | | 8. 16 | |
| 3. 13 | | 9. 10 | |
| 4. 19 | | 10. 15 | |
| 5. 12 | | 11. 18 | |
| 6. 14 | | 12. 15 | |

## EXERCISE 6a

| | | | |
|---|---|---|---|
| 1. 4 | | 6. 6 | |
| 2. 7 | | 7. 9 | |
| 3. 2 | | 8. 3 | |
| 4. 5 | | 9. 1 | |
| 5. 10 | | 10. 8 | |

## EXERCISE 6b

| | | | |
|---|---|---|---|
| 1. 20 | | 6. 20 | |
| 2. 20 | | 7. 20 | |
| 3. 20 | | 8. 20 | |
| 4. 20 | | 9. 20 | |
| 5. 20 | | 10. 20 | |

## EXERCISE 7a

| | | | |
|---|---|---|---|
| 1. 7 | | 6. 9 | |
| 2. 4 | | 7. 1 | |
| 3. 2 | | 8. 3 | |
| 4. 10 | | 9. 5 | |
| 5. 6 | | 10. 8 | |

## EXERCISE 7b

| | | | |
|---|---|---|---|
| 1. 24 | | 6. 25 | |
| 2. 29 | | 7. 22 | |
| 3. 26 | | 8. 27 | |
| 4. 21 | | 9. 20 | |
| 5. 28 | | 10. 23 | |

## EXERCISE 8a

| | | | |
|---|---|---|---|
| 1. 23 | | 6. 29 | |
| 2. 25 | | 7. 20 | |
| 3. 27 | | 8. 24 | |
| 4. 21 | | 9. 28 | |
| 5. 22 | | 10. 26 | |

## EXERCISE 8b

| | | | |
|---|---|---|---|
| 1. 24 | | 6. 21 | |
| 2. 26 | | 7. 28 | |
| 3. 20 | | 8. 25 | |
| 4. 29 | | 9. 27 | |
| 5. 23 | | 10. 22 | |

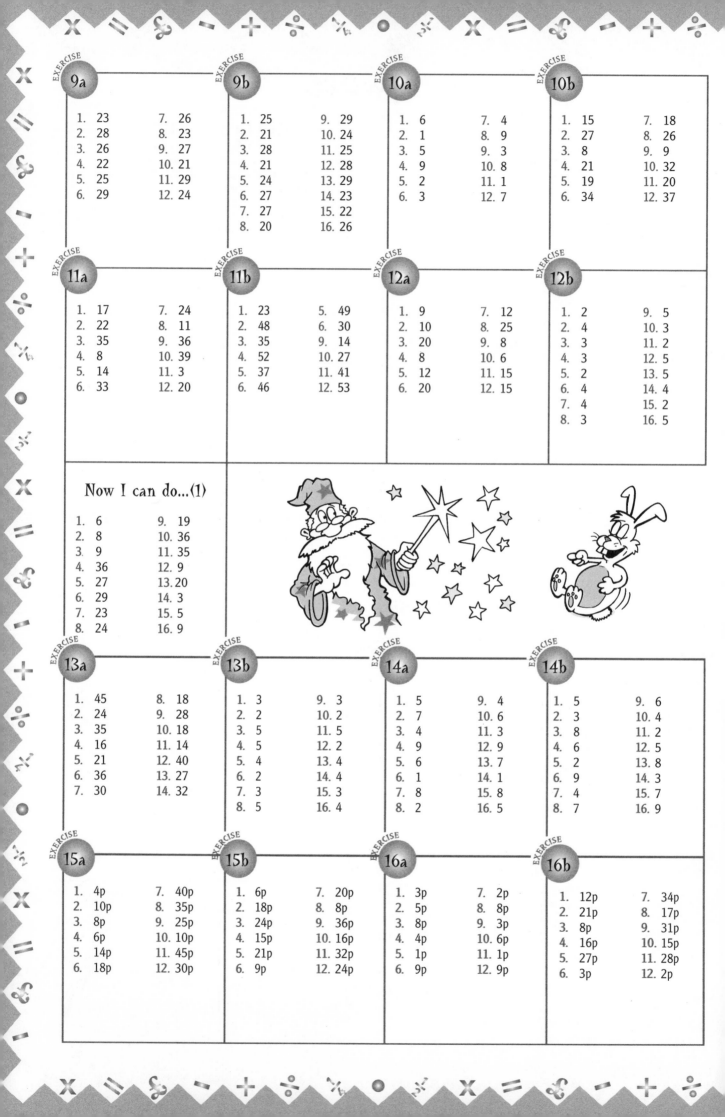

## EXERCISE 9a

| | |
|---|---|
| 1. 23 | 7. 26 |
| 2. 28 | 8. 23 |
| 3. 26 | 9. 27 |
| 4. 22 | 10. 21 |
| 5. 25 | 11. 29 |
| 6. 29 | 12. 24 |

## EXERCISE 9b

| | |
|---|---|
| 1. 25 | 9. 29 |
| 2. 21 | 10. 24 |
| 3. 28 | 11. 25 |
| 4. 21 | 12. 28 |
| 5. 24 | 13. 29 |
| 6. 27 | 14. 23 |
| 7. 27 | 15. 22 |
| 8. 20 | 16. 26 |

## EXERCISE 10a

| | |
|---|---|
| 1. 6 | 7. 4 |
| 2. 1 | 8. 9 |
| 3. 5 | 9. 3 |
| 4. 9 | 10. 8 |
| 5. 2 | 11. 1 |
| 6. 3 | 12. 7 |

## EXERCISE 10b

| | |
|---|---|
| 1. 15 | 7. 18 |
| 2. 27 | 8. 26 |
| 3. 8 | 9. 9 |
| 4. 21 | 10. 32 |
| 5. 19 | 11. 20 |
| 6. 34 | 12. 37 |

## EXERCISE 11a

| | |
|---|---|
| 1. 17 | 7. 24 |
| 2. 22 | 8. 11 |
| 3. 35 | 9. 36 |
| 4. 8 | 10. 39 |
| 5. 14 | 11. 3 |
| 6. 33 | 12. 20 |

## EXERCISE 11b

| | |
|---|---|
| 1. 23 | 5. 49 |
| 2. 48 | 6. 30 |
| 3. 35 | 9. 14 |
| 4. 52 | 10. 27 |
| 5. 37 | 11. 41 |
| 6. 46 | 12. 53 |

## EXERCISE 12a

| | |
|---|---|
| 1. 9 | 7. 12 |
| 2. 10 | 8. 25 |
| 3. 20 | 9. 8 |
| 4. 8 | 10. 6 |
| 5. 12 | 11. 15 |
| 6. 20 | 12. 15 |

## EXERCISE 12b

| | |
|---|---|
| 1. 2 | 9. 5 |
| 2. 4 | 10. 3 |
| 3. 3 | 11. 2 |
| 4. 3 | 12. 5 |
| 5. 2 | 13. 5 |
| 6. 4 | 14. 4 |
| 7. 4 | 15. 2 |
| 8. 3 | 16. 5 |

## Now I can do...(1)

| | |
|---|---|
| 1. 6 | 9. 19 |
| 2. 8 | 10. 36 |
| 3. 9 | 11. 35 |
| 4. 36 | 12. 9 |
| 5. 27 | 13. 20 |
| 6. 29 | 14. 3 |
| 7. 23 | 15. 5 |
| 8. 24 | 16. 9 |

## EXERCISE 13a

| | |
|---|---|
| 1. 45 | 8. 18 |
| 2. 24 | 9. 28 |
| 3. 35 | 10. 18 |
| 4. 16 | 11. 14 |
| 5. 21 | 12. 40 |
| 6. 36 | 13. 27 |
| 7. 30 | 14. 32 |

## EXERCISE 13b

| | |
|---|---|
| 1. 3 | 9. 3 |
| 2. 2 | 10. 2 |
| 3. 5 | 11. 5 |
| 4. 5 | 12. 2 |
| 5. 4 | 13. 4 |
| 6. 2 | 14. 4 |
| 7. 3 | 15. 3 |
| 8. 5 | 16. 4 |

## EXERCISE 14a

| | |
|---|---|
| 1. 5 | 9. 4 |
| 2. 7 | 10. 6 |
| 3. 4 | 11. 3 |
| 4. 9 | 12. 9 |
| 5. 6 | 13. 7 |
| 6. 1 | 14. 1 |
| 7. 8 | 15. 8 |
| 8. 2 | 16. 5 |

## EXERCISE 14b

| | |
|---|---|
| 1. 5 | 9. 6 |
| 2. 3 | 10. 4 |
| 3. 8 | 11. 2 |
| 4. 6 | 12. 5 |
| 5. 2 | 13. 8 |
| 6. 9 | 14. 3 |
| 7. 4 | 15. 7 |
| 8. 7 | 16. 9 |

## EXERCISE 15a

| | |
|---|---|
| 1. 4p | 7. 40p |
| 2. 10p | 8. 35p |
| 3. 8p | 9. 25p |
| 4. 6p | 10. 10p |
| 5. 14p | 11. 45p |
| 6. 18p | 12. 30p |

## EXERCISE 15b

| | |
|---|---|
| 1. 6p | 7. 20p |
| 2. 18p | 8. 8p |
| 3. 24p | 9. 36p |
| 4. 15p | 10. 16p |
| 5. 21p | 11. 32p |
| 6. 9p | 12. 24p |

## EXERCISE 16a

| | |
|---|---|
| 1. 3p | 7. 2p |
| 2. 5p | 8. 8p |
| 3. 8p | 9. 3p |
| 4. 4p | 10. 6p |
| 5. 1p | 11. 1p |
| 6. 9p | 12. 9p |

## EXERCISE 16b

| | |
|---|---|
| 1. 12p | 7. 34p |
| 2. 21p | 8. 17p |
| 3. 8p | 9. 31p |
| 4. 16p | 10. 15p |
| 5. 27p | 11. 28p |
| 6. 3p | 12. 2p |

## EXERCISE 17a

1. 70, 71, 72
2. 93, 94, 95
3. 100, 101, 102
4. 61, 62, 63
5. 101, 102, 103
6. 110, 111, 112

## EXERCISE 17b

1. 101, 104
2. 111, 113
3. 118, 121
4. 123, 126
5. 139, 143
6. 130, 131

## EXERCISE 18a

1. 14, 16
2. 20, 35
3. 40, 70
4. 1, 9
5. 18, 27
6. 75, 80

## EXERCISE 18b

1. 26, 28
2. 12, 21
3. 40, 60
4. 70, 30
5. 70, 55
6. 32, 30

## EXERCISE 19a

1. 27, 35, 58
2. 82, 98, 116
3. 53, 91, 101
4. 74, 110, 111
5. 143, 148, 152
6. 101, 110, 111

## EXERCISE 19b

1. 72, 63, 47
2. 99, 96, 91
3. 108, 105, 102
4. 134, 126, 117
5. 111, 109, 101
6. 196, 188, 182

## EXERCISE 20a

1. odd
2. even
3. even
4. odd
5. even
6. even
7. odd
8. odd
9. even
10. odd
11. even
12. odd

## EXERCISE 20b

1. even
2. odd
3. even
4. even
5. even
6. odd
7. odd
8. odd
9. even
10. odd
11. even
12. odd

## EXERCISE 21a

1. 4
2. 8
3. 12
4. 4
5. 3
6. 5
7. 6
8. 11
9. 8
10. 5
11. 11
12. 13
13. 10
14. 5
15. 9
16. 3

## EXERCISE 21b

1. 1
2. 2
3. 7
4. 3
5. 6
6. 11
7. 11
8. 9
9. 13
10. 10
11. 5
12. 14
13. 4
14. 1
15. 4
16. 15

## EXERCISE 22a

1. 19
2. 15
3. 11
4. 18
5. 20
6. 13
7. 16
8. 19
9. 20
10. 17
11. 14
12. 13
13. 20
14. 17
15. 14
16. 19

## EXERCISE 22b

1. 20
2. 17
3. 18
4. 11
5. 13
6. 20
7. 14
8. 11
9. 14
10. 17
11. 18
12. 20
13. 16
14. 13
15. 16
16. 16

## EXERCISE 23a

1. 13
2. 11
3. 23
4. 12
5. 23
6. 23
7. 14
8. 15
9. 11
10. 21
11. 18
12. 17
13. 18
14. 23
15. 12
16. 16

## EXERCISE 23b

1. 15
2. 18
3. 18
4. 16
5. 19
6. 15
7. 26
8. 18
9. 18
10. 26
11. 11
12. 18
13. 18
14. 26
15. 14
16. 14

## EXERCISE 24a

1. 25−7=18 or 25−18=7
2. 39−18=21 or 39−21=18
3. 31−16=15 or 31−15=16
4. 24−11=13 or 24−13=11
5. 40−18=22 or 40−22=18
6. 33−16=17 or 33−17=16
7. 32−19=13 or 32−13=19
8. 35−19=16 or 35−16=19

## EXERCISE 24b

1. 8+4=12 or 4+8=12
2. 12+7=19 or 7+12=19
3. 12+15=27 or 15+12=27
4. 6+12=18 or 12+6=18
5. 18+8=26 or 8+18=26
6. 9+6=15 or 6+9=15
7. 9+8=17 or 8+9=17
8. 14+11=25 or 11+14=25

## EXERCISE 25a

1. ×
2. +
3. ×
4. ×
5. +
6. ×
7. ×
8. +
9. ×
10. +
11. ×
12. ×

## EXERCISE 25b

1. −
2. +
3. ×
4. ×
5. ×
6. −
7. ×
8. ×
9. −
10. +
11. ×
12. +

## Now I can do... (2)

1. 28
2. 27
3. 40
4. 7
5. 8
6. 18p
7. 18p
8. 100
9. 12, 21
10. even
11. 11
12. 15
13. 16
14. ×
15. + or −
16. −

# Certificate

This is to certify

_____

has successfully completed a
Mental Maths Practice!

1. $9 \times 5 =$ ☐
2. $6 \times 4 =$ ☐
3. $7 \times 5 =$ ☐
4. $8 \times 2 =$ ☐
5. $7 \times 3 =$ ☐
6. $9 \times 4 =$ ☐
7. $6 \times 5 =$ ☐
8. $9 \times 2 =$ ☐
9. $7 \times 4 =$ ☐
10. $6 \times 3 =$ ☐
11. $7 \times 2 =$ ☐
12. $8 \times 5 =$ ☐
13. $9 \times 3 =$ ☐
14. $8 \times 4 =$ ☐

Which times tables are these from?

1. $8 \times$ ☐ $= 24$
2. $6 \times$ ☐ $= 12$
3. $9 \times$ ☐ $= 45$
4. $7 \times$ ☐ $= 35$
5. $9 \times$ ☐ $= 36$
6. $8 \times$ ☐ $= 16$
7. $7 \times$ ☐ $= 21$
8. $6 \times$ ☐ $= 30$
9. $6 \times$ ☐ $= 18$
10. $7 \times$ ☐ $= 14$
11. $8 \times$ ☐ $= 40$
12. $9 \times$ ☐ $= 18$
13. $7 \times$ ☐ $= 28$
14. $8 \times$ ☐ $= 32$
15. $9 \times$ ☐ $= 27$
16. $6 \times$ ☐ $= 24$

## Divide by 2.

1. 10... [ 5 ]
2. 14... [  ]
3. 8... [  ]
4. 18... [  ]
5. 12... [  ]
6. 2... [  ]
7. 16... [  ]
8. 4... [  ]

## Divide by 5.

9. 20... [ 4 ]
10. 30... [  ]
11. 15... [  ]
12. 45... [  ]
13. 35... [  ]
14. 5... [  ]
15. 40... [  ]
16. 25... [  ]

Use your times tables to help you.

## Divide by 4.

1. 20... [ 5 ]
2. 12... [  ]
3. 32... [  ]
4. 24... [  ]
5. 8... [  ]
6. 36... [  ]
7. 16... [  ]
8. 28... [  ]

## Divide by 3.

9. 18... [ 6 ]
10. 12... [  ]
11. 6... [  ]
12. 15... [  ]
13. 24... [  ]
14. 9... [  ]
15. 21... [  ]
16. 27... [  ]

## One costs 2p. How much do… cost?

1. 2… 4p
2. 5… 
3. 4… 
4. 3… 
5. 7… 
6. 9… 

## One costs 5p. How much do… cost?

7. 8… 40p
8. 7… 
9. 5… 
10. 2… 
11. 9… 
12. 6… 

## One costs 3p. How much do… cost?

1. 2… 
2. 6… 
3. 8… 
4. 5… 
5. 7… 
6. 3… 

## One costs 4p. How much do… cost?

7. 5… 
8. 2… 
9. 9… 
10. 4… 
11. 8… 
12. 6…

## How much change from 10p?

| | | |
|---|---|---|
| 1. | 7p... | 3p |
| 2. | 5p... | |
| 3. | 2p... | |
| 4. | 6p... | |
| 5. | 9p... | |
| 6. | 1p... | |

## How much change from 20p?

| | | |
|---|---|---|
| 7. | 18p... | |
| 8. | 12p... | |
| 9. | 17p... | |
| 10. | 14p... | |
| 11. | 19p... | |
| 12. | 11p... | |

## How much change from 50p?

| | | | | | |
|---|---|---|---|---|---|
| 1. | 38p... | 12p | 7. | 16p... | |
| 2. | 29p... | | 8. | 33p... | |
| 3. | 42p... | | 9. | 19p... | |
| 4. | 34p... | | 10. | 35p... | |
| 5. | 23p... | | 11. | 22p... | |
| 6. | 47p... | | 12. | 48p... | |

Remember! Add on to the next 10, then count in tens.

## Write the next three numbers.

1.  67  68  69

2.  90  91  92

3.  97  98  99

4.  58  59  60

5.  98  99  100

6.  107  108  109

## What's missing?

1.  99  100  ☐  102  103  ☐

2.  108  109  110  ☐  112  ☐

3.  117  ☐  119  120  ☐

4.  121  122  ☐  124  125  ☐

5.  ☐  140  141  142  ☐

6.  127  128  129  ☐  ☐

## EXERCISE 18a

### Find the missing numbers.

1. 4  6  8  10  12  [ ]  [ ]

2. 5  10  15  [ ]  25  30  [ ]

3. 20  30  [ ]  50  60  [ ]  80

4. [ ]  3  5  7  [ ]  11  13

5. 12  15  [ ]  21  24  [ ]  30

6. 65  70  [ ]  [ ]  85  90  95

## EXERCISE 18b

### More missing numbers.

1. 22  24  [ ]  [ ]  30  32

2. 6  9  [ ]  15  18  [ ]

3. 35  [ ]  45  50  55  [ ]

### Now backwards.

6. 90  80  [ ]  60  50  40  [ ]

7. 85  80  75  [ ]  65  60  [ ]

8. 38  36  34  [ ]  [ ]  28

> Look at the numbers and find the pattern.

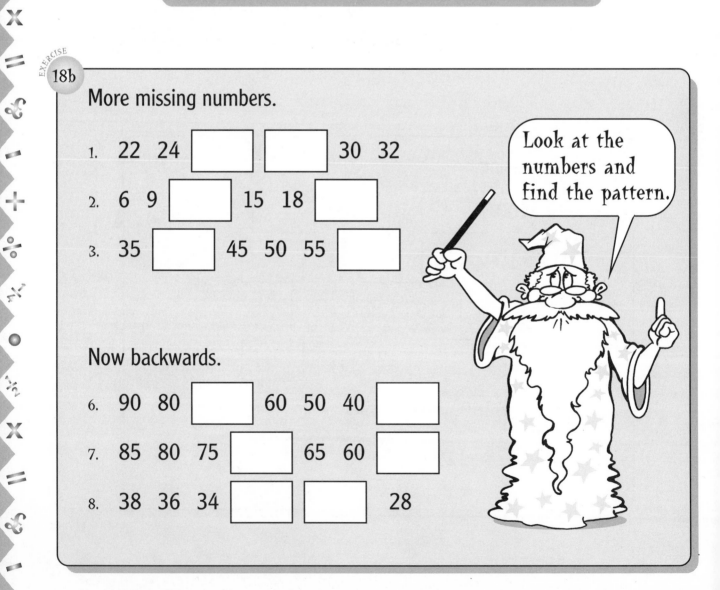

## Put the numbers in order of size, the smallest first.

1. 35  58  27    | 27 | 35 | 58 |
2. 82  116  98   |  |  |  |
3. 91  53  101   |  |  |  |
4. 111  74  110  |  |  |  |
5. 148  152  143 |  |  |  |
6. 110  101  111 |  |  |  |

## Put them in order, the biggest first.

1. 47  72  63    |  |  |  |
2. 99  91  96    |  |  |  |
3. 105  108  102 |  |  |  |
4. 126  117  134 |  |  |  |
5. 101  111  109 |  |  |  |
6. 182  196  188 |  |  |  |

Look at the biggest number first: the hundreds or tens number.

Write 'odd' or 'even'.

1. 25  [odd]
2. 32  [ ]
3. 28  [ ]
4. 51  [ ]
5. 34  [ ]
6. 40  [ ]

7. 147  [ ]
8. 229  [ ]
9. 154  [ ]
10. 231  [ ]
11. 158  [ ]
12. 143  [ ]

Odd numbers end with 1 3 5 7 or 9.
Even numbers end with 0 2 4 6 or 8.

Write 'odd' or 'even'.

1. 642  [ ]
2. 379  [ ]
3. 754  [ ]
4. 238  [ ]
5. 816  [ ]
6. 163  [ ]

7. 585  [ ]
8. 827  [ ]
9. 180  [ ]
10. 369  [ ]
11. 952  [ ]
12. 255  [ ]

1. 15 − 11 = ☐
2. 12 − 4 = ☐
3. 18 − 6 = ☐
4. 16 − 12 = ☐
5. 11 − 8 = ☐
6. 19 − 14 = ☐
7. 13 − 7 = ☐
8. 17 − 6 = ☐

9. 14 − 6 = ☐
10. 17 − 12 = ☐
11. 19 − 8 = ☐
12. 17 − 4 = ☐
13. 16 − 6 = ☐
14. 18 − 13 = ☐
15. 15 − 4 = ☐
16. 12 − 9 = ☐

1. 13 − ☐ = 12
2. 16 − ☐ = 14
3. 20 − ☐ = 13
4. 15 − ☐ = 12
5. 19 − ☐ = 13
6. 12 − ☐ = 1
7. 14 − ☐ = 3
8. 11 − ☐ = 2

9. 17 − ☐ = 4
10. 15 − ☐ = 5
11. 11 − ☐ = 6
12. 18 − ☐ = 4
13. 14 − ☐ = 10
14. 12 − ☐ = 11
15. 16 − ☐ = 12
16. 19 − ☐ = 4

1. ☐ − 17 = 2 (It's not 15!)
2. ☐ − 2 = 13
3. ☐ − 10 = 1
4. ☐ − 2 = 16
5. ☐ − 8 = 12
6. ☐ − 2 = 11
7. ☐ − 13 = 3
8. ☐ − 5 = 14

9. ☐ − 6 = 14
10. ☐ − 14 = 3
11. ☐ − 10 = 4
12. ☐ − 3 = 10
13. ☐ − 5 = 15
14. ☐ − 15 = 2
15. ☐ − 12 = 2
16. ☐ − 4 = 15

Take care! Make sure that your answers are sensible.

1. ☐ − 0 = 20
2. ☐ − 16 = 1
3. ☐ − 15 = 3
4. ☐ − 2 = 9
5. ☐ − 12 = 1
6. ☐ − 2 = 18
7. ☐ − 1 = 13
8. ☐ − 11 = 0

9. ☐ − 1 = 13
10. ☐ − 2 = 15
11. ☐ − 17 = 1
12. ☐ − 4 = 16
13. ☐ − 16 = 0
14. ☐ − 11 = 2
15. ☐ − 14 = 2
16. ☐ − 1 = 15